MIS PRIMEROS LIBROS®

¿QUIEN ES QUIEN?

por Patricia C. McKissack

ilustrado por Elizabeth M. Allen

Traductora: Lada Josefa Kratky

Consultante: Dr. Orlando Martinez-Miller

Preparado bajo la dirección de Robert Hillerich, Ph.D.

℗ CHILDRENS PRESS®

CHICAGO

Para Robert Lewis y
John Patrick McKissack

Library of Congress Cataloging-in-Publication Data

McKissack, Patricia, 1944–
  ¿Quién es quién?

  (Mis primeros libros)
  Resumen: Aunque Beto y Juanito son gemelos, a
menudo les gustan cosas opuestas. Incluye una lista de
palabras.
  [1. Gemelos—Ficción. 2. Lengua castellana—Sinónimos
y antónimos—Ficción] I. Allen, Elizabeth, 1948- il.
II. Título. III. Serie.
PZ7.M478693Wh 1983 [E]   83–7361
ISBN 0-516-32042-4

Childrens Press®, Chicago
Copyright © 1989, 1983 by Regensteiner Publishing Enterprises, Inc.
All rights reserved. Published simultaneously in Canada.
Printed in the United States of America.
1 2 3 4 5 6 7 8 9 10 R 98 97 96 95 94 93 92 91 90 89

Beto y Juanito son gemelos.
¿Quién es quién?

Este es Beto.

Este es Juanito.

Beto se parece a Juanito,
pero Beto es Beto.

Juanito se parece a Beto,
pero Juanito es Juanito.

A Juanito le gusta lo rojo.

A Beto le gusta lo azul.

¿Quién es quién?

Este es Juanito. Este es Beto.

A Juanito le gusta lo caliente.

A Beto le gusta lo frío.

¿Quién es quién?

Este es Juanito. Este es Beto.

A Juanito le gusta sentarse delante.

A Beto le gusta sentarse detrás.

¿Quién es quién?

Este es Juanito.

Este es Beto.

A Juanito le gusta estar arriba.

A Beto le gusta estar abajo.

¿Quién es quién?

Este es Juanito. Este es Beto.

A Juanito le gusta lo grande.

A Beto le gusta lo pequeño.

¿Quién es quién?

Este es Juanito. Este es Beto.

A Juanito le gusta estar encima.

A Beto le gusta estar debajo.

¿Quién es quién?